KB103281

# 진짜 친구

**구월여중 또래상담부**

## 진짜 친구

**발 행** | 2022년 12월 02일

**저 자** | 구월여자중학교 또래상담부 26명

**펴낸이** | 한건희

**펴낸곳** | 주식회사 부크크

**출판사등록** | 2014.07.15(제2014-16호)

**주 소** | 서울특별시 금천구 가산디지털1로 119 SK트윈타워 A동 305호

**전 화** | 1670-8316

**이메일** | info@bookk.co.kr

ISBN | 979-11-410-0458-3

www.bookk.co.kr

이 책은 인천광역시교육청 청소년 인문실험 및 동부교육지원청 우리학급(동아리)책 만들기 프로젝트의 일환으로 만들어졌습니다.

# 진짜 친구

# CONTENT

# 시작하며

2022년 봄. 구월여중에 26명의 또래상담부원이 모였습니다.

이 26명의 학생들은 교내 상담실에서 진행하는 각종 행사를 홍보하거나 지원하기 위해, 혹은 각 학급에서 소외되거나 어려운 친구들이 없는지 살피는 역할을 하기 위해 학급당 1명씩 제한을 두어 최종 선정되었습니다.

우리 학교 교육과정에서 공식적인 동아리 활동 시간은 학기마다 10시간입니다. 그래서 1년을 모두 합쳐야 고작 20시간. 이 시간 동안 또래 상담부로 자원한 학생들과 어떻게 하면 더 의미 있는 상담자로 성장할 수 있을까 고민했습니다. 누군가와 상담하기 전, 먼저 자신의 마음을 세심하게 살피는 연습이 올해의 목표였습니다.

마음은 순식간에 휘발되는 속성이 있습니다. 자신의

감정과 마음이 어떤지 살펴보기 전에, 이미 상황은 지나가 버리는 경우가 많고 뒤늦게 이불킥을 하거나, 시의적절하게 표현되지 못해 오히려 아주 오랜 시간 잔상을 남기기도 하니까요.

그래서 진짜 상담을 하기 위해서는 천천히 자신의 감정을 곱씹어보는 작업이 꼭 필요하다고 생각했습니다. 상담과 글쓰기가 대체 무슨 상관이냐고 물어오는 아이들에게 일일이 답을 주지는 않았습니다.

다만 1년 동안 감정온도계 작업, 동아리와 어울리는 글쓰기 주제 선정, 친구와 관련된 문장 수집, 마인드맵을 통한 관심사 찾기 등의 과정을 통해 조금씩 다듬어지는 자신의 마음을 느낄 수 있기를 바랐습니다.

뒤돌아보니 비공식적으로 틈틈이 많은 일들이 있었네요. 아이들은 친구와 자신을 응원하기 위해 그림을 그리기도 하고, 복도 전시나 캠페인 등의 행사를 하기도 했으니까요. 책을 읽고, 영화도 보러 다녔습니다. 그간 친했던 아이들이 서로 소원해지기도 하고, 몰랐던 아이들에게 호기심을 갖기도 했습니다. 짧은 1년이라지만 참 많은 화학작용이 있었다고 생각합니다.

20시간. 그러나 실제로는 훨씬 더 많은 시간 동안 상담실과 함께 한 26명의 아이들에게 학번이 아닌 진짜 자기 이름으로 농축된 시간들이 기록으로 남았습니다.

자신의 감정을 오롯이 느끼고, 책임지려는 이 착한 아이들에게 다시 한번 감사를 전합니다.

구월여자중학교 상담교사 김미연

너 친구 몇 명 있어?

조민아

친구들이 얼마나 많은지는 중요하지 않아. 나를 배

신하지 않고 나에게 뒤돌지 않는 '진짜' 친구가 있

다는 게 중요하지. 그렇지만 그만큼 '진짜' 친구를

찾는 것은 쉽지가 않아.

이루비

이 주제로 몇 날 며칠을 고민한 결과, 난 딱 한 명 있다고 대답할 것이라는 결론을 내렸다.

영원이라는 건 있을 수 없다.

모든 것은 늘 변하고 변해온다.

몇 년이면 기억도 안 날 주변의 사람들을 왜 챙겨야 할까 하는 고민도 정말 많이 해봤지만, 결과적으로 지금의 나에게 중요한 건 미래가 아닌 현재라는 깨달음을 얻었으며, 현재 주변에 있는 사람들에게 미래에는 몰라도 지금만큼은 잘해주어야겠다는 생각이 들었다. 그렇지만 그들은 나의 유일한 친구가 될 수 없다.

여전히 내 대답은 '나에게 있어 친구는 한 명이다'

이다.

나의 하나뿐인 그 친구는 바로 나 자신이다.

난 아무리 생각해봐도 나에게 친구는 오직 나뿐이라는 결론이 내려졌다. 결국 이런 결론으로 난 날 잘 챙겨주고 아껴주며 나 자신의 친구가 되어 주기로 했다.

영원한 것도 없고 모든 것이 변해도 나는 여전히 나라는 것을 미래에서도 잊지 않길 바라며 이 글을 마친다.

김민경

세 명. 내 친구의 수이다. 확실히 적은 편이다. 중학교 와서 크게 마음 나눈 친구는 단 한 명이 없고, 열세 살부터 4년째 사귀는 친구들이 끝이니까. 십 몇 년 산 게 고작이지만, 나름의 이야기를 해보자면. 나는 '친구 관계는 좁고 깊게, 대인관계는 넓고 얕게'라는 말이 완벽하게도 가치관이 된 사람이다.

왜냐하면

나름 어렸을 땐 대인관계를 중요시하는 편이었다. 넓고 확실한 그런 관계. 무작정 좋은 사람이 되고 싶었으니까. 그렇지만 내 가치관에 있어 커다란 비중을 차지한 친구들은, 정말 깊게 사귀었던 육 년 친구 두 명, 지금 사 년째 사귀는 유일한 친구 세 명이 끝이다. 과거형을 보고 알아챘겠지만, 전자의 친구들과는 이미 안녕을 얘기했다. 육 년을 사귀었던 친구들을 일주일 만에 잃으며 느꼈던 건 오직, 결국 영원한 것은 없다는 것이었다. 게다가 지금 즐겁게 지내는 세 명의 친구들과도 두 번의 위기가 있었기에, 친구 관계에 대해 꽤나 깊게 생각했었다. '친구가 꼭 많이 필요할까. 음, 아니. 많이 없어도 돼. 그럼 아무리 친구들과 즐겁게 영원을 말하더라도, 우리의 끝은 불확실한데. 굳이 깊게 사귀는 친구가 필요한 걸까. 어차피 끝나면 남밖에 되지 않는 사이인데. 어차피 끝나면 아프기만 한데. 음, 그러니까… 모르겠어.'라고 당시의 멍청했던 나는 생각했다.

하지만 지금의 나는 당연하게도 '응.'이라고 말한다. 간단했다. 답은 아이러니하게도 '영원하지 않으니까'였다. 아무리 미래가 불투명하더라도 지금 옆에 있으니까. 지금은 다시 오지 않으니까. 지금에 충실하지 않으면 결국 아쉬울 테니까. 그래서 나는 소수와 영원을 생각한다. 그랬으면 좋겠다. 그럴 것이다. 그래야만 한다.

안수빈

'나에게 친구는 몇 명 있을까'라는 주제를 생각하며 나도 궁금해졌다.
그렇게 오래 생각해본 결과 나의 답변은 '모르겠다' 이다.

사람은 한결같지 않다. 어떤 날엔 착하고 밝고, 또 어떤 날은 화가 나 있고 슬퍼한다. 사람은 그 상황에 따라 감정이 바뀐다. 나의 친구라면 그 감정은 친한 나에게까지 느껴진다. 혹시 모른다. 그 친구란 아이가 날 위험으로 밀지. 사람들은 "야 친구인데 그러겠어?", "너무하다"라고 말하지만, 그 누가 그 정답을 알까. 내 말도, 다른 사람들의 말도 근거가 없는 것은 마찬가지 아닐까?

친구란 믿을 수 있고, 의지할 수 있는 사람이라고 난 생각한다. 그렇기에 나의 답변은 '모르겠다.'이다.

서지민

내가 믿는 친구는 딱 한 명뿐이다.

우리 학교에선 친하게 지내는 친구들은 있지만 믿

을 만한 친구는 아직 사귀지 못했다. '친구'라

는 것은 믿음이 가는 존재라고 생각한다.

기댈 수 있는 친구는 멀리 사는 친구 한 명뿐이

지만 2년 동안 마음이 맞고, 기댈 수 있는 친구

를 찾을 수 있을 거라 생각한다.

# 친구 골라내기

송 채 원

5학년 때 만나서 지금까지 쭉 지낸 친한 친구가 있다. 그 친구는 귀차니즘이 심한 아이 이기도 하고 나는 남한테 고민상담을 잘 안 하기도 해서 일부러 말 안하고 힘든 것도 참았는데, 언제 한번 엄마에게 크게 야단이 난 후 너무 힘들고 속상해서 그 친구에게 처음으로 털어놓았다. 그리고 그 친구는 나에게 이렇게 말했다. "왜 지금까지 말 안하고 꾹꾹 숨겼어, 힘들겠다." 원래는 맨날 장난치고 서로 치고 받고 하는 그런 친구가 진지하게 내 이야기를 들어주고 위로를 해줘서 놀랐다. 편지도 써서 나에게 주었다. 감동적이었다. 진짜 친구는 이런 거 같다. 정말 원수 같지만 이렇게 나 걱정해주는 사람. 이런 친구를 사귀어야 한다.

김나림

나는 어려서부터 친구들과 많이 싸웠다. 내가 예민해선지, 그냥 그 친구랑 안 맞는 건지… 아님 '진짜 내가 성격이 이상한가…?'까지 생각했었다. 근데 나는 친구랑 싸운 일들을 그냥 그런가 보다 하고 매번 넘겼다. 왜냐면 시계에 시침처럼 얼마 지나면 다시 제자리로 돌아왔기 때문이다. 늦어봐야 분침 속도였는데…

하지만 이번에는 다르다. 왜냐하면 사춘기에 접어들었기 때문이다. 근데 '진짜 사춘기 때문에 친구 사이가 더 어려운 걸까? 그냥 친구가 나랑 안 맞는 게 아닐까? 아님 내가 친구를 잘못 골랐나…?' 그렇게 생각하던 중 나는 내 선택이 잘못됐다는 것을 깨달았다. 그 이유는 새로운 친구를 사귀어서 잘 놀다가 그냥 갑자기 친구에게서 정이 떨어졌다.

이유는 나도 모르겠다. '왜지…? 왜 싫지…?' 라는 생각에 잠기다 갑자기 그 친구랑 크게 싸웠다. 근데 이번은 이상했다. 누구 아무나 먼저 사과를 하지 않는 것이다. 이러다간 시침이 10바퀴를 돌아도 아니 지구가 10바퀴를 돌아도 제자리로 돌아올 것 같지가 않았다. 그래서 내가 먼저 사과하려고 했는데...
나는 그 친구에게서 더 정이 떨어졌다. 왜냐하면 그
친구가 내 뒷담을 하고 다닌다는 말에 난 충격을 받
았다. 우리 둘 다 뒷담은 하지 말자고 했는데... 그
래서 나는 지구가 10바퀴가 돌든 100바퀴를 돌든
그 친구랑 화해하지 않지로 결심했다. 나도 안다.
내가 찌질한 것을. 그런데 나는 친구를 사귀고 3년
이상 지낸 적이 없다. 그래서 난 이번에도 그냥 지
나가는 친구라고 생각했다. 그런 걸 보면 내가 이상
한 것 같은데...

나는 그래서 더욱 더 친구가 중요한 것 같다. 난 내
성격 취향을 잘 맞혀주는 친구를 잘 골라내야겠다는
생각이 더욱 내 머리에 깊숙이 박혔다. 난 친구랑
싸우는 것도 소중한 경험이라고 생각한다. 나는 사
람들이 친구랑 싸웠다고 슬퍼하지 않았으면 좋겠다.
왜냐하면 세상은 넓고 친구는 많으니까!!

김리희

나는 초등학교 때도, 중학교 때도 친구 문제가 생기지 않은 적이 없다. 여러 친구 문제를 겪으면서 친구도 골라 사귀어야 한다는 것을 뼈저리게 느낀다. 어릴 때부터 여러 가지를 배우기 위해 이곳저곳을 다니며 많은 사람을 만나봤지만 관계에 트러블이 안 생긴 적은 없었다.

내가 초등학교 때 사귀었던 친구가 있었다. 나는 그 애와 정말 오랫동안 만날 줄 알았는데, 그 친구는 그렇게 생각하지 않았나 보다. 그 애는 나를 왕따시키려 했고, 나는 그 이후로 친구를 잘 골라 사귀려고 노력했다. 중학교에 들어와서 여러 친구를 사귀었지만 그중 초등학교 때와 똑같은 애가 있었다. 항상 친구를 잘 골라 사귀기 위해 노력하지만 뜻대로 안될 때도 있는 거 같다. 또 이런 경험을 하지 않기 위해 성격과 취향 같은 여러 조건을 고려해서 친구를 잘 사귀어야 한다고 생각한다.

조현미

최근에 친구 관계로 인해 어려움을 겪고 있는 친구를 보며 생각했다. '친구도 잘 골라 사귀어야겠다.' 여러 친구를 만나다 보면 갈등이 생기기 마련이다. 그 과정에서 진짜 친구가 가려진다. 이 기회를 잘 이용해야 편한 친구 관계를 형성하지만, 이 기회를 놓쳐버리면 불편하고 찝찝한 친구 관계를 얻는 것이다. 새로운 친구들과 만나 서로의 취향을 공유하고 친해지는 과정도 친구를 골라내는 데 큰 도움이 될 수 있다. 대화를 나누면서 그 사람의 습관, 특징, 성격 등을 파악하며 나와 잘 맞는지 아닌지 알 수 있다. 그래서 난 이 방법들을 사용해 학기 초 때의 친구와 지금까지 편안하게 관계를 이어나가고 있다. 이처럼 친구 골라내기 방법은 친구 관계를 지속하는 데 큰 영향을 끼친다.

신가영

살면서 항상 좋은 친구만 사귈 수는 없다는 걸 모두
가 알고 있을 것이다. 그만큼 친구를 사귀는 일은
어렵다. 항상 좋은 친구만 있으면 말다툼이나 싸움
같은 게 없는 평화로운 세상이겠지, 아무튼 싸우는
걸 좋아하는 사람은 없기에 좋은 친구, 진짜 친구를
찾아내야 한다. 나 또한 친구와 싸워서 헤어지는 일
이 많았다. 하지만 헤어지지 않은 친구들도 있다.
그게 비로소 진짜 친구가 아닐까?

넌 나에게 00한 친구

최서연

넌 나에게 전부 같은 친구

나에게 친구란 삶 한쪽에서 큰 역할을 하고 있으며 없어선 안 될 존재, 사소한 착각과 갈등으로 멀어질 수 있지만 그렇지 않기 위해 서로 최선을 다하는 존재이다. 때론 서로에게 속상하고 화가 나도 함께 헤쳐 나아가며 힘이 되어주기도 한다. 서로의 고민을 털어놓고 대화하며 신뢰와 믿음을 나누며 사랑을 나눈다. 슬플 땐 위로해주고 외로울 땐 함께 있어 주고. 하지만 항상 그렇지만은 않을 것이다. 어떨 때는 소외감을 느끼고 질투심을 느낄 수도 있지만 서로 풀어나갈 친구가 진정한 친구이다. 그 누구보다 믿고 사랑하는 친구이기에 잃고 싶지 않고 멀어지고 싶지 않다. 친구를 잃고 멀어지게 되면 그 무엇보다 큰 슬픔과 마음의 힘듦을 느끼게 될 것이다. 작고

소소하더라도 나누고 싶고 함께하고 싶은 친구이기에 더욱 소중히 생각해야 한다. 오래 만날수록 편해지고 서로의 단점을 알게 되어버릴지도 모른다고 해도 서로의 빈틈을 채워주는 것, 말 한마디에 상처받고 무너지며 삶이 바뀔 수 있는 것이 친구이다.

물론 모두가 그렇다는 것은 아니다. 서로에게 맞고 진정한 친구는 모두에게 꼭 한 명씩은 존재한다. 다만 우리가 자신의 주변을 잘 살피지 못한 것뿐이다. 좋은 일이 있으면 축하해주고 슬플 때 위로해주며 힘이 들 때 도와주는 친구가 진정한 친구이다. 그리고 친구를 사귀는 것 또한 하나의 큰 행복이다.

나에게 친구란 바로 이런 것이다.
그러니 친구가 없다고 생각하지 말고 자신의 주변을 잘 살펴보았으면 좋겠다.

이유림

넌 나에게 없어서는 안 되는 친구

생각해 보면 기쁠 때도, 슬플 때도, 우울할 때도, 웃을 때도 나는 항상 너와 함께였다.

누구보다도 서로를 잘 알고 언제나 서로의 버팀목이 되어 주었고, 어쩌면 가족보다도 끈끈할지도 모르는 너와 나.

어떠한 일로 어느 누군가와 싸워도 묻지도 따지지도 않고 항상 내 편을 들어 주는,

늦은 등굣길도 함께 해주는,

네가 울면 나도 우는 것처럼 서로 이어진 것만 같은,

겉으로는 톡톡대도 속으로는 그렇지 않다는 것을 다

아는,

나에 대해 모르는 것이 없고 항상 날 챙겨 주는 너
는 나에게 없어서는 안 되는 친구이다.

강윤서

넌 나에게 '변하지 않는 친구'이다. 자주 싸우더라도 금방 풀고 화해하고, 조금씩 의견이 다르더라도 서로 의견을 맞춰가며 조율해 나갈 수 있는 관계. 계절과 날씨 같은 것과도 상관없이, 늘 변하지 않는 싱그럽고 올곧은 관계. 내가 바라는 친구는 그것이고, 내가 되고 싶은 친구도 그것이다. 그래서 너는 나에게 '변하지 않는 친구'이다.

윤효민

넌 나에게 힘이 되어주는 친구

내가 힘들거나 슬플 때마다 항상 먼저 알아봐 주고 괜찮냐고 해주고, 나를 배려해주는 고맙고 좋은 존재이다. 내가 최근에 2학기 기말고사에서 시험이 망해서 기분이 안 좋을 때 수고했다고 자기도 못 봤다며 다음에 잘 보라며 이해해주고 배려해줬고, 어쩌면 가족보다 더 친한 친구인 것 같다.

생일도 같아 어릴 때부터 친해져 어느덧 6년 지기인 너는 나에게 위로이자 힘이 되어 주는 친구이다.

김예인

넌 나에게 힘을 주는 친구.

넌 나에게 우정을 알려준 친구.

넌 나에게 같이 있으면 기분이 좋아지는 친구.

넌 나에게 새로운 것을 알려주는 친구.


내가 모르는 것들을 잘 아는 사람이자, 나와는 많이
다른 사람이야.

나와는 달라서 더 좋은, 더 친해지고 싶은 친구야.


또, 넌 나에게 편안한 친구야.

나는 나에게 편안함을 주는 사람이 좋아. 알다시피
나는 좀 소심하고 흔히들 말하는 '무리'에 잘 끼지
못하는 사람이었잖아. 네가 다가와 준 덕에 너와 내
가 친해진 것 같아. 사람들과 있으면 불편하다고 생
각했는데 네 덕에 사람들과 함께하는 즐거움을 알게

되었어. "고마워" 항상 이야기하고 싶었는데 민망하고 쑥스러워서 못 했던 고맙다는 이야기를 이제서야 하네.

내가 힘들 때 옆에 있어 줘서, 내 이야기를 들어줘서, 코로나로 방 안에서 틀어박혀 나오지 않던 나를 끌어내 줘서 고마워.

넌 나에게 고마운 친구야.
넌 나에게 좋은 친구야.


나도 너에게 좋은 친구라면 좋겠다.

난 너에게 00한 친구

김가연

난 너에게 "우산" 같은 친구
너의 차가운 빗물을 막아 줄 수 있는 그런 친구

난 너에게 "지우개" 같은 친구
너의 악몽과 트라우마를 위로해주며 서서히 지워 줄
수 있는 그런 친구

난 너에게 "에너지" 같은 친구
너의 옆에서 활기차게 웃고 떠들며 힘이 되어 주는
그런 친구

난 너에게 "하나뿐인" 친구
서로 화내고 짜증도 내는 친구지만
언제나 같이 웃고 사랑을 나눌 수 있는 그런 친구

그런 친구가 진짜 친구라는 걸

김푸름

너에게 기쁨이 되고 싶다
즐거움을, 희망을 품게 해주는
그런 존재가 되고 싶다


너에게 편안함이 되고 싶다
같이 있으면 걱정 근심이 없어지는
그런 너의 주체가 되고 싶다


너에게 의미가 되고 싶다
멀리 떨어졌을 때도 간간이 생각날 수 있는
그런 너의 추억이 되고 싶다


난 너에게 이런 친구가 되고 싶다
좋은 사람이 되어보고 싶다

강유민

난 너를 항상 웃게 해줄 거야

넌 나를 항상 웃게 해주니까


난 너를 미워하지 않을 거야

넌 나를 미워하지 않으니까


난 너를 항상 생각할 거야

네가 날 항상 생각하는 것처럼


난 너를 지켜줄 거야

네가 날 지켜주는 것처럼

정시연

나는 너에게 한결같은 친구로 남고 싶다.

새로운 사람을 만나는 것보다 그 관계를 유지하는 것에서 그 사람의 진가가 드러난다.

새로운 사람은 어디서든 만날 수 있지만 그 사람은 어디서도 만날 수 없다.

서로에게 버팀목이 되어 주며 긍정적인 영향을 끼치는, 언제 만나도 어색하지 않은
한결같은 친구가 되어 줄 수 있다면 좋겠다.

문소진

난 너에게 초록빛의 친구이고 싶다.

친구라는 단어에 포함된 사람들을 멀리서 바라보면 사뭇 비슷해 보이지만, 한 발짝 더 나아가 본다면 각기 다른 이유로 친구라는 관계를 유지하고 있음을 깨달았다. 이 때문에 글을 쓰면서 00에 들어갈 특정 단어를 고르는 데 있어서 꽤 난감했다. 그래서 이들 모두에게 내가 남고 싶은 인상을 길다면 긴 시간 동안 고민해 보았다. 고민 끝에 난 친구들에게 초록빛의 친구로 남고 싶다.

초록색은 중성적인 색으로 친근함과 편안함을 주어 심리적으로는 스트레스와 격한 감정을 차분히 가라 앉히는 것으로 알려져 있다. 이처럼 친구들에게 유쾌하고, 강렬한 인상을 주는 것보다 안정적인 느낌 으로 차분히 그들과의 관계를 이어가고 싶은 바람이 있다.

내 기억 속 너에게

김문영

너는 나의 아주 작고 사소한 추억 하나하나에 지지 않는 별처럼 존재하고 있다. 서로를 마주 보며 온갖 행복이 있는 웃음을 지었던 우리가 내 기억 속에 자리 잡고 있다. 사소한 것으로 다투어 웃음으로 해결했던 것도, 여름에 너의 집에서 선풍기 바람을 맞으며 즐겁게 이야기했던 것도 우리의 어린 시절 추억에 담겨있다.

너무나 오랫동안 함께여서 익숙한 너의 존재가 이제는 정말 나에게 소중한 사람이 되었다. 내 곁에 없으면 이상한 그런 존재. 나의 슬픔 또는 괴로움도 너와 함께여서 털어버릴 수 있었다. 너는 나에게, 나는 너에게, 서로가 서로에게 잊지 못할 추억을 새겨주고 있다는 것은 너무나 행복한 일인 것 같나. 네가 웃는 모습을 보면 나도 너를 따라 웃게 된다. 너의 작은 행동들도 따라 하게 된다. 내 기억 속의

반으로 가득 차 있는 너. 너와 함께 했던 많은 봄, 여름, 가을, 겨울. 나는 앞으로 너와 함께 맞이할 이 계절들이 너무나도 설렌다.

김문영

## <너>

오늘 나는 울었다.

그 무엇보다도 나에겐 슬픈 날인 오늘

눈물로 번진 내 시야 안에 네가 들어왔다.


그 무엇보다 위로가 된 너의 존재

그 어떤 것 보다 너는

별과 같았고

봄과 같았고

달콤한 사탕과 같았다.


언제나 고맙고 미안한 그런 너의 존재

오늘도 나는 너의 빛을 받는다.

최은서

내 기억 속 너를 내 머릿속에 그려보면 나도 모르게 저절로 입가에 웃음이 지어진다. 곰곰이 생각해보면 그때의 나는 네가 그렇게 소중하고 지금의 나에게 이렇게 큰 영향을 미칠 줄 예상을 못 했었던 것 같다. 그러나 시간이 점점 더 흐를수록 그때의 네가 정말 좋은 아이였다는 것을 실감하게 된다. 만약 우리가 그때 연락이 끊기지 않고 계속되어 지금까지 이어가고 있었으면 매년 너와 함께 맞이하는 계절은 어땠을지 궁금하고 또 기대된다.

다시 우리가 우연찮게 재회하게 되는 날이 온다면, 그런다면 나는 정말 기쁘고 감회가 새롭겠지만 또 한편으로는 내가 알고 기억하는 그때의 너는 정말 모난 점 없이 둥글고 빛났어서 많이 바뀌었을 지금의 너의 모습을 마주하기 두렵기도 하다. 그래서 나는 너의 모습을 내 마음 한편 구석에 꼬깃꼬깃 접힌

편지마냥 펼쳐보지 않고 잘 간직하기로 했다. 앞으로 많은 산을 넘을 너지만 나는 그때마다 네가 좌절하지 않으며 그때의 너처럼 밝게 일어나 너만의 고유한 색깔을 잃지 않기를 바라며 이 글을 마친다.

이현경

너는 나에게 먼저 말을 걸었었다. '너 이름이 뭐야?' 나는 순간 당황했었고, 너는 웃어주었다. 그 첫 만남이 지나고 우리는 몇 달 뒤에 엄청 친한 친구가 되어있었고, 너는 내가 힘들 때마다 옆에 와서 내 이야기를 항상 들어주었다. 너하고 나는 성격이 달랐지만 너는 내 성격에 맞춰가려고 노력하려고 했던 것 같다. 그래서 먼저 다가와 준 네가 고맙고 한때 나를 성장시켜주던 친구였기에 더욱더 기억에 남는다.

한예은

Dear My S.

지금은 노을이 보이는 시간이야. 맞은편에서는 달이
서서히 보이고, 너는 바쁘게 달리고 있을 그런 때.
곧 있으면 하늘이 밤으로 물들겠지. 그럼 난 또 체
할 테고. 하루가 너무 길어서 내게는 벅차더라. 그
래도 널 기다리는 건 싫지 않아서 지나온 밤을 곱씹
고는 해. 기억할지는 모르겠는데, 내가 네게 표현이
서툴다고 놀리며 웃었던 날 있잖아. 사실 말 안 한
게 많아. 바보 멍청이 해삼이라 부르면서도 네가 좋
다고 생각했어. 다듬을 새도 없이 써 내려간 문장투
성이인 말들이 기뻤고. 그중에서도 묵묵히 다가온

고맙다는 말에 눈물이 나더라. 이, 말미잘. 끔찍하게 도 다정한 내 사람. 나야말로 고마워. 내가 이 말을 전할 수 있게 될 때까지 기다려 줘서. 몇 번이고 괜찮다며 기회를 줘서. 덕분에 편히 잠들 것 같아. 잘 자, 네 밤도 안녕하길 바라.

Love, your friend.

한예은

<보물 상자 >

스치듯 말한 걸 기억하고 챙겨주는

섬세한 사람

보답하려 해도 괜찮다며 밀어내는

소박한 사람


정작 자기 자신은 뒷전으로 미루는

바보 멍청이

그런 네 애정을 받는 시간을 좋아해

너도 그렇고

여주은

내 기억 속의 너는 항상 한결같았다. 내가 힘든 일이 생겼을 때, 내가 슬픈 일이 생겼을 때, 내가 행복한 일이 생겼을 때 항상 내 곁에 있어 주었고 마치 자기 일처럼 슬퍼해 주었으며 자기 일처럼 기뻐해 주었다. 알고 지낸 지는 얼마 되지는 않았지만 너 없는 나의 하루는 상상이 안 된다. 나의 하루에 항상 자리 잡고 있는 너의 한결같음이 오래가길 바라며 마무리한다.

안강은

그동안 간직했던 추억 속의 너는 항상 달랐던 것 같다. 너는 나와 행복한 모습을 취할 때도 있었지만 서로를 등지고 불만을 토하는 모습을 할 때도 많이 있었다. 어떤 모습이었든 나에게 영향을 끼쳤던 너인 것은 분명했다.

아직까지 유치한 모습 그대로 친한 너도 있지만 자연스럽게 멀어진 너도 내 기억 속에 선명히 남아있다. 멀어진 것에 대해 나름의 이유가 있겠지만 멀어지길 결심했던 그 순간부터 지금까지의 나는 너를 싫어하고 있다. 그 이유를 말하자면 길어질 테지만 너와의 쓸모없는 말싸움으로 시간을 낭비하고 싶진 않다.

너와 내가 함께 웃고 떠들던 그 시절이 그리울지는

몰라도 나는 나대로 너는 너대로 각자의 삶을 사는 지금이 우리에게 더 좋은 영향이 될 것이다. 지금 내게 아무것도 아닌 너지만 한때는 나를 성장시켜 준 친구였다는 것을 난 잊지 않을 것이다.

지금의 친구들과 더 좋은 관계를 맺게 해준 너에게 고마움을 표한다.

## 책을 마치며

어디선가 시원한 바람이 불어옵니다. 상기되었던 뺨이 한결 시원해집니다.

십 대의 아이들은 참 많은 마음들을 만나게 됩니다. 그리고 자신의 마음을 자세히 들여다볼 겨를도 없이 친구들의 마음에 공명하며 흔들립니다. 여리고 순수한 마음들이라 서로에게 더 많이 영향을 받고, 깊은 파장을 일으키기 때문이겠지요. 친구 관계를 통해 아이들은 생채기가 나기도 하고, 단단해지기도 하면서 성장합니다. 가족과 주고받았던 의사소통과 마음의 이야기들이 조금씩 타자를 향해 확장해나가는 단계이기도 하니까요.

사람의 기분을 흔히 날씨에 비유합니다. 맑고 쾌청했던 하늘에서 별안간 소나기가 쏟아지기도 하고,

먹구름이 몰려와 어두워지기도 하니까요. 반면 성격은 기후와 비슷합니다. 매일의 날씨에 비해 안정적이라 대체로 예측이 가능하고, 비슷한 패턴이 반복되기 때문입니다.

그런데 아이들은 자신의 기분과 마음이, 그리고 현재의 모습이 기후처럼 변하지 않는 속성일까 봐 염려하고 불안해합니다. 지금 느끼는 부정적인 상태가 앞으로도 계속될까 봐 미리 걱정하는 것이지요. 자신이 느끼는 기분이 성격이라고 여기기도 하고, 그 성격이 자신의 인격이라고 헷갈리기도 해요. 그렇게 수시로 변하는 기분과 감정 상태가 곧 자기 자신이라고 생각하기에, 스스로에게 실망하기도 하고, 당혹감을 느끼기도 하지요. 그러나 막다른 골목이라고 생각될 때조차도, 포기하지만 않는다면 기회는 또다른 상황과 얼굴로 우리에게 계속 찾아오는 것을 우리는 경험적으로 알고 있습니다. 자신의 진짜 욕구와 부정적인 마음을 잘 들여다볼 수 있다면, 진정으로 성숙한 관계를 맺을 수 있다는 비밀을 아이들은 알고 있을까요?

'저는 왕따 경험이 있어서 친구들과 사귀는 것이 어려워요, 저라는 사람을 좋아해 줄 사람이 있을까요?, 공부를 못해서 앞으로 어떻게 살아야 할지 걱정입니다, 저는 키도 작고, 운동도 못해요, 부모님이 싸울 때 너무 무서워요...' 누구에게도 들키고 싶지 않은 각자의 내밀한 사연들이 결국은 자신의 고유성을 만들어나가고, 그 지점이 변화의 시작이라는 것을 서둘러 알려주고 싶은 생각은 없습니다.

그래서 상담은 지속적으로 아이들에게 넛지를 주는 행위라고 생각합니다.
어떤 선택도 완전한 정답이 없으므로, 조금씩 더 나은 선택을 할 수 있도록 하거나, 실패와 좌절을 통해 배운 것에 힌트를 주며 아이들 마음에 한줄기 시원한 바람을 일으켜 줄 수 있기 때문입니다. 저 역시 아이들의 맑고 조심스러운 민낯을 가만히 들여다

보면서 조금 더 좋은 사람이 되기 위한 안간힘에 생의 한순간, 오히려 위로를 받습니다.

문장의 유려함과 완성도를 떠나, 지난 1년간 자신의 마음과 관계를 들여다보며 진솔함과 진지함으로 글을 지어 낸 아이들에게 진심으로 감사의 마음을 전합니다. 정성을 다해 빚어낸 그 소중한 마음들이, 결국에는 자신을 완성해가는 과정이고 이 작은 마음들이 모여 한 권의 책으로 나올 수 있다는 사실에 스스로 대견해하길 기대합니다.

대체로 첫 경험은 인간의 삶에 아주 오랫동안 각인됩니다. 그래서 이 첫 번째 작품이 구월여중 또래상담부 아이들에게 무언가를 해낸 증거로 부디 오랫동안 힘을 발휘하길 기원합니다.

2022년 11월 구월여중 상담교사 김미연